為什麼國家
有的窮、有的富？

費莉西亞‧羅 Felicia Law、

傑拉德‧貝利 Gerald Edgar Bailey —— 文

顏銘新 —— 譯

政治大學財政系　吳文傑副教授—— 審定

送給孩子一生受惠的禮物
──良好的金融理財素養

　　每年，美國「維吉尼亞州的經濟教育委員會」（Virginia Council on Economic Education）會定期與銀行業者合作，舉辦一個小學生的「經濟概念塗鴉比賽」，讓參賽的孩子們以色彩、圖案、簡單文字，描繪出一個他們心目中重要的「經濟概念」。

　　舉例來說，就讀國小三年級的小妹妹馬可娜，就在紙上畫了一間販賣著各式各樣美味麵包的麵包店，店外頭站著一位女士與一位小女孩。這位女士手上拿著一袋麵包要送給小女孩，女士說：「謝謝妳剛剛幫我清洗窗戶，這一袋麵包是我們之前同意的工作報酬。」

　　看完這幅畫作的內容，你猜得到這位小三的孩子想傳達的「經濟概念」嗎？是的，沒錯！她是在介紹一個「以物易物」（barter）的經濟概念。這些得獎畫作會搭配經濟概念的介紹彙整起來，最後製作成給美國中小學社會科課程的教師手冊。

　　為什麼他們要辦這樣的「經濟概念塗鴉比賽」呢？理由其實很簡單。因為美國的教育體系早已深刻體認到，必須**及早讓孩子建立基本的經濟概念，學習合宜的金錢價值觀，以及正確的自我管理策略，這些重要的生活基本能力，將會對人的一生造成重大的影響！**

　　當我們做家長的鎮日辛苦工作，疲於奔命的花錢在幫小孩找家教補習、學鋼琴、美術等才藝課，學習運動鍛練體能、購買電腦充實基本技能的同時，卻忘了一件更重要且基本的事，那就是提供孩子在面對現實生活中最基本的生存之道──足夠的經濟知識與良好的理財觀念。正如這套書中所言：「世界上的每個人都需要錢。」但是**金錢不僅僅是一種物質，更是一種**

觀念；讓孩子擁有一個快樂、富足的人生，取決的真正關鍵不在於金錢的多寡，而在於孩子對於金錢的價值觀。

培養孩子的經濟知識與理財觀念，必須從小做起。但是對於較小的孩子來說，經濟的概念是很抽象的，其實不僅對於兒童，即使經濟概念的課程早已納入臺灣的課程綱要，許多青少年或是成人對於經濟概念也常是一知半解，甚至覺得無聊、深奧，因而往往敬而遠之。其實經濟知識就在你我的生活之中，但如何讓孩子儘早開始從生活中進行觀察，建立基本的經濟與理財概念？我想讓孩子閱讀一套生動有趣的書籍，絕對是不可或缺的方式。

「親子天下」出版社有鑑於此，去年便請我閱讀並評估這套童書，我閱讀完後，馬上大力推薦，希望他們能夠儘快出版。我推薦的理由有幾點：

第一，臺灣兒童的經濟教育已落後先進國家一大段距離，必須刻不容緩、迎頭跟上。

第二，這套書共分四冊，包括：個人零用錢的管理、家庭所得的運用、國家預算的分配，以及世界貿易的影響。正好符合我心目中對於**兒童學習經濟概念的四個階段——從個人（學習如何管理自己的零用錢）到家庭（了解爸媽如何管理家庭的錢），從國家（認識國家如何管理錢）到全世界（認識世界的錢如何流動）**。

第三，這套書使用淺顯易懂的文字搭配生活化的觀察活動，無論是小孩或大人，都能從書中學習到該具備的經濟知識與理財觀念。

或許仍然有很多家長希望自己的小孩可以變成「小愛迪生」、「小比爾蓋茲」，但請別忘了，未來臺灣的「小巴菲特」和「少年巴菲特」或許就在你家。花點時間，陪伴小孩一起閱讀這套書，你可以一邊充實自己荒廢已久的經濟知識，一邊帶著孩子用嶄新的視野重新認識這個世界。

我由衷且大力的推薦這套書！

政治大學財政系副教授　吳文傑

目錄

你將在本書中學到國家經濟的知識！

PART 1

國家的錢怎麼進？
怎麼出？

Poor vs Rich

我們負責管理自己的零用錢，
爸媽負責管理家庭的收支，那麼國家呢？
國家的錢有多少？又是由誰負責管理？
為什麼這麼多政治人物要跳上桌子搶預算？
國家的收支情況，
跟我們每個人又有著什麼樣的關係呢？

你知道國家在做什麼嗎？

你應該明白很多情況下都需要用到錢這件事了。爸媽需要用錢購買食物和為車子加油，還要支付水電費帳單，以及供你自己管理的零用錢⋯⋯但是你知道嗎？其實我們的國家也需要錢，而且還需要很多很多的錢呢！

國家也需要錢

人無論男女老少、家庭無論人數多寡，金錢與我們的生活總是息息相關。人們重視金錢的原因不僅是為了想要獲得更多的錢，而是希望能透過妥善的理財，擁有一個更理想、更充實與更自由的人生。

我們的國家和個人以及家庭一樣，也有收入和支出，沒錢時也需要借貸，如果隨便亂花錢也可能會面臨破產的窘境。但和個人與家庭不同的是，國家還被賦予了一個特別的任務，就是要設法維持充足的經費，確保人民生活的所有功能可以正常運作。

國家的任務

　　為了要讓人民生活所需功能可以正常運作，國家需要錢來完成許多事務。例如為了方便人民的移動和聯繫，需要建造公路、鐵道、機場；為了運送農場生產的農牧產品，以及工廠製造出來的各種商品，公路與港口航運也缺一不可。

　　在臺灣，國家有義務設立各級學校，讓人民接受教育。當人們年老或生病了，則有全民健康保險制度為人民提供完善的照護，這些都需要用到錢。

誰來管理國家的錢？

國家是由許許多多的家庭所組成的，一個國家之中可能具有少則數千個，多則數百萬個家庭。每個家庭中的人每天工作和娛樂、吃飯和睡覺，當然也經歷出生和死亡。要讓國家運作正常、人民生活安樂，國家的財政必須運作得宜。

誰來當家？

　　一個國家裡的事務相當複雜，不可能由上千萬或上億的人民來一起管理。一個好的政府是要為所有人民謀求幸福，舉例而言，執政者需要確保鄉下的孩子們有學校可讀，而不是只有城裡的孩子可以就學而已。為了確保國家裡所有的事務運轉順利，總得有人來當家，那麼該由誰來管理國家呢？

傳統國家的政府

　　古代國家的國王或皇帝擁有非常大的權力，可以制定國家的運作模式，可以決定國民要繳多少稅，以及稅收要用在哪裡，甚至可以依自己的喜好決定國民的工作與生活，但現在多數國家已經不是這樣了。

民主國家的政府

　　在民主國家裡，人民選舉出代表人民管理政事的人，賦予他們權力、讓他們代表人民來做決策和維持國家運作，我們稱這群人為「政府」。以我們的國家為例，政府首長如總統及縣市長是由人民選舉出來的，在他們的任期內會負責掌管國家大大小小的事情。

　　但政府的預算安排，並不是由首長自己決定的，必須由人民選舉出另一群人，代表人民負責監督政府的運作，我們稱這群人為「議會」，由立法委員及地方議員審核政府的預算，並監督執行情況。

誰來幫國家管理金錢？

　　家裡是你的爸媽在管理錢，那國家的錢是誰在管理呢？專門為國家管理錢財的是「財政部」，負責掌管國家財政、向人民與企業課徵稅收、政府收入不足時發行公債、管理國有財產等工作。財政部的工作非常重要，因為唯有健全國家的財政收入，才能支應國家建設和發展的支出所需。

國家預算的基本單位是什麼？

當我們算錢時，有時候會以1塊錢來計算；存放零用錢的小豬撲滿裡，則可能會以10元硬幣來計算；過年時領的紅包，通常是以一張張的百元鈔票來計算；爸媽在衡量家庭收支時，則常以千元鈔票來計算。那麼一個國家的預算基本計算單位是什麼呢？

10億有多少？

國家運作所需要的錢，往往是以10萬、100萬、10億，甚至是上兆元來計算。看看下方的照片，照片中的鈔票總數是美金10億元，而一兆元是這張照片裡鈔票的1,000倍。

一個國家需要很多的錢，才能支付人民需要的公共服務！

「十億」和「一兆」有多少？

我們先從**1,000**來思考：

1,000　一千　　（是**100**的十倍）

1,000,000　一百萬　（是**1,000**個一千）

1,000,000,000　十億　　（是**1,000**個一百萬）

1,000,000,000,000　一兆　　（是**1,000**個十億）

10億秒前是西元**1986**年。

10億分鐘前是西元**1**世紀。

10億小時前是距今約**11**萬**4,155**年前，人類的祖先還在非洲大陸上用著簡單的石器生活著。

10億天前是約**270**萬年前，那時地球上還沒有人類。

一兆個銅板疊起來的高度，大約等於140萬公里，大概是從地球到月球，再從月球回地球再去月球的距離。

國家的錢 都花在哪兒？

並不是所有國家的政府都會把錢花在相同地方，
但主要的經費會花費在以下這些事務上。

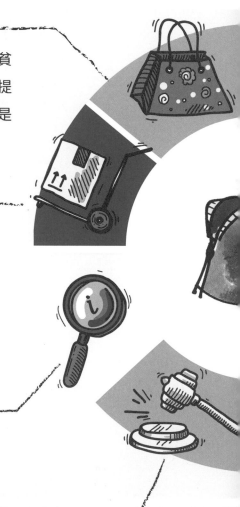

1 社會福利

國家會提供服務給社會裡需要幫助的人們，包括貧
病老殘和失業者等，也會為街友和精神疾病患者提
供適當輔導與安置。以臺灣來說，社會福利支出是
國家預算佔比中最高的項目。

2 工業、農業與就業

國家會盡力為人民安排妥善的工作機會，編
列職業訓練費用、補助農民栽種作物、對產
業降稅，和提供廠房與土地開發等，來促進
工業發展。

3 國民教育

大部分國家都會把教育視為施政不可欠缺的工作
之一。教育是一項耗費巨資的事業，除了要購買
建材和設備以興建校舍，還需要發放薪水給教師
和提供各種教育培訓。

4 法律和秩序

我們都希望居家平安和出入安全。大部分國家會設置警察單
位以確保人民安全無虞，因此國家需要錢來雇用與訓練警察人
員、設置警察局和警車。

8 衛生醫療

我們都可能會生病，住院治療在所難免。某些國家制定出國民健康保險計劃，來籌措醫療體系所需的費用，例如醫院、診所中的醫生與護士薪資，診療時使用的先進設備，以及非常龐大的藥物費用。

7 交通運輸和國民住宅

民眾和貨物能夠在兩地之間迅速移動，國家才能有效的運作。所以需要建造公路、鐵路和機場等交通運輸。政府要面對的最大挑戰之一，是在不破壞環境的條件下，能夠滿足日益增加的人口所衍生出來的居住需求。有些政府興建社會住宅或國民住宅來解決居住問題。

6 國防安全

所有國家都需要捍衛自己的國土，特別是當遭遇鄰國的威脅時。這就意味著國家需要提供資金在國防安全上，例如陸軍、空軍，有海岸國界的國家更少不了海軍。以臺灣來說，國防安全支出是國家預算佔比中第二高的項目。

5 債務利息

國家所獲得的主要收入來源，主要來自於人民所繳交的稅金，不過這些錢不一定每一年都足夠應付所有的公共支出。有時候政府也向銀行舉債（借錢）並支付利息和費用。政府借的本金加上利息可能會累積成一筆相當龐大的金額。

坐在翹翹板上的稅

你可能會想，當政府需要用錢時，可以隨時印鈔票啊！只要不停的啟動印鈔機，鈔票自然就會源源不斷的製造出來。可惜實際上事情可沒那麼簡單，政府還是得靠收取稅金、發行彩券或債券等方式籌措每年政府的運作經費。

富人繳愈多的稅

在多數國家裡，收入愈高的人所需繳納的稅金也會愈高，這是因為社會普遍認為：錢賺得多的人理當更有能力和責任，對國家的運作付出更多貢獻。因此各國政府會設計一套稅率系統，計算不同收入的國民應該要繳交多少的稅。例如我國最低稅率是所得的5%，隨著收入增加，稅率也跟著逐級變高，最高可達到45%。

窮人繳較少的稅

你的收入愈低，所要繳納的稅金也就愈少。在有的國家，收入低於一定金額的人是不需要繳稅的。

我國政府每年會公布報稅門檻，收入低於這個門檻金額的人就不用繳稅。政府每年會視物價情況來調整報稅門檻，減輕低收入人民的生活負擔。

生活在高稅賦的國家

我們來看看位於北歐的丹麥。丹麥的所得稅率居全球之冠，基本稅率由42%開始增加，最高可達到68%。但相對來說，在丹麥人人可以享受到免費且完善的醫療照顧和高等教育。

生活在低稅賦的國家

有些國家稅賦非常低，甚至不用繳所得稅，吸引了很多想要避稅的外國富人將公司登記在當地，而被稱為「避稅天堂」。賺了錢又不用繳稅，你一定會想，這樣真是太好了！不過，位在美洲西加勒比海的開曼群島，當地人民雖然不用繳稅給政府；不過相對的，政府也不會提供教育、醫療等費用補貼，相關開銷完全由人民自己負擔。

如果是你，你會想在哪一種國家生活呢？

如何徵稅才公平？

雖然大家都喜歡享受政府提供的各種公共服務，但通常我們都不樂意繳太多的稅。一般人直覺上想到的是，國家應該從有錢人那裡多徵收一點稅，這樣才公平。但如果對富人徵收太高的稅，反而可能會讓政府的稅收下降。想一想，如果我們開了一間公司，賺到很多錢，但政府基於公平而把我們大半所得都拿走，那麼我們何不乾脆輕鬆過日子，不用努力打拼賺錢，或是考慮把公司搬去稅收較低的國家來避稅。

在經濟學上，追求「社會公平」與「經濟效率」就像是翹翹板的兩端，政府在擬定稅收制度時，得要盡量兼顧這兩個原則，取得一個大家都滿意的平衡點。

國家為什麼要發行
彩券和債券？

國家的財務跟家庭、個人沒什麼不同，要避免入不敷出，最重要的就是花錢之前要先有預算，並且收支要能夠平衡。當政府歲收不足以支應國家建設，還可以透過發行彩券或債券來籌集經費。

官方彩券

彩券是一種國家用來籌款的簡單方式，一般會藉由販售印有序號的紙券進行發售，並在特定日期舉行抽獎。持有獲獎彩券的得主將贏得彩金，而彩金銷售扣除彩金剩餘的錢，可以用在政府社福資源的公益事業或其他政府施政所需的地方。有一些人反對發行彩券，他們覺得這是一種賭博行為，不過大部分的人購買彩券只是為了樂趣。

在臺灣，政府是將販售公益彩券的機會提供給身心障礙者、原住民及低收入單親家庭，主要原因就是為弱勢族群創造就業機會，符合販售彩券的公益目標。

政府債券

有些國家會透過發行政府債券，來籌措一些公共建設所需的經費，例如建設高速公路所發行的政府債券。政府債券就像是一張政府向民眾借錢的借據，承諾在一定期間後，民眾取回資金時，政府不但會返還本金，還會加上承諾的利息金額。

國家破產了！

　　有些國家因為經濟情況不佳而必須設法籌集資金，有些國家甚至因為沒有一毛錢而宣告破產！這聽起來很難想像，但這是真實發生的情況。當前非洲最貧窮的國家之一——辛巴威，位於非洲南部內陸，經歷無能政府統治了十餘年之久，遭遇工業遲緩、農作歉收、出口衰退等狀況，人民不是身處饑荒之中，就是每個月的所得只有幾分錢而已。直到今天，辛巴威還有**95%**的人口處於失業之中。

　　不過，辛巴威政府可沒停止花錢，甚至還把錢挪用在領導者自己身上！當一個政府把人民所創造出來的財富移為私用，這個國家的經濟狀況怎麼可能不岌岌可危？金錢不用在國家各種事務上，經濟就無法成長，商人和人民也會因為報酬稀少，而缺乏工作機會和工作意願。

　　結果，辛巴威政府一直依賴印鈔票或是不停的借款，以維持國家運作。當印出的辛巴威幣愈來愈多，能交換的物品卻愈來愈少，人民就會對辛巴威幣失去信心，而政府也就無法繼續再用印鈔票與借款運作，最終造成國家經濟的失控。在**2006**年，**3,000**辛巴威幣可以兌換**1**美元，等到**2009**年時，這些辛巴威幣變得毫無價值，所以全部都成為廢棄的貨幣了！

面額一兆元的辛巴威鈔票，它的價值還不到幾分美金，想要換到美金5元，你得要累積大約100張這種面值的鈔票才換得到。

國家貨幣是怎麼鑄造出來的？

各個國家都有自己的貨幣名稱，你所在的國家使用的是哪一種貨幣呢？你知道我們生活中使用的硬幣和鈔票是怎麼印製出來的呢？我們一起來探索答案吧！

硬幣是怎麼鑄造出來的？

生產與製造硬幣的過程稱為「鑄幣」。看看你手邊的硬幣或是外國的硬幣，你可能會好奇，為什麼有些硬幣上會刻有某位總統或是某個人物的頭像？這是因為一開始，沒人相信硬幣具有真正的價值，因此國家的統治者就把自己的頭像鑄印在硬幣上。

你一定很好奇，硬幣是怎麼鑄造來的？硬幣的材料通常是一條33公分寬，457公分長的金屬條。先把金屬條盤繞成圈後送進沒有圖案的沖壓機，壓製成沒有圖案的「光餅」，再把光餅送進爐子裡加熱和軟化，遇熱乾燥之後，光餅變得閃閃發亮。

下一個步驟是加上花樣和文字，這個步驟稱為「壓鑄」，亦即利用壓花機在光餅上壓出花紋、金額和文字，最後完成一枚枚的硬幣。

鈔票是怎麼印製出來的？

鈔票必須要印製得讓人難以偽造，所以鈔票的  製造過程裡有很多的祕密喔！

用驗鈔筆可以
看見浮水印

字軌和票號　箔膜有光影變化

視障輔助點

職章

1.原稿設計→電腦繪圖→手工雕刻

　　設計師會先設計鈔票上的圖案並進行電腦繪圖，有些國家會以當地特有的動物、植物、重要人士或是文化節慶，來作為鈔票上的圖案。繪製的圖案會被專業雕刻師傅刻在一塊稱為凹模的鋼板上。

2.製版、印刷

　　印刷鈔票使用的是凹版印刷，當油墨塗布在凹模時，油墨會滲入雕刻出的線條和圖案裡。鈔票上花花綠綠的顏色，就是套印的成果。

　　為了安全起見，印刷鈔票的紙張是使用棉纖製成，這種紙張裡還混摻著無法被複印的特殊「安全線」。用特製油墨印製的鈔票上還有祕密隱形圖案，名為「浮水印」，那是一種在紙面上壓出立體紋路的印痕，銀行和商家可以使用驗鈔機照射來檢查鈔票的真偽。

3.裁切、檢查

　　印刷鈔票使用的是很大張的紙張，印刷完成之後要經過檢查，避免印製上的瑕疵，確認過後再用機器裁切成小張的鈔票，最後就大功告成了！

想知道更多，可以到中華民國中央印製廠網頁喔！

國與國的交易：進口與出口

臺灣是個地狹人稠的島嶼，而且缺乏礦產、石油、天然氣等天然資源，經濟上得依靠各種產品的進出口貿易，所以我們常說貿易是臺灣經濟的命脈。

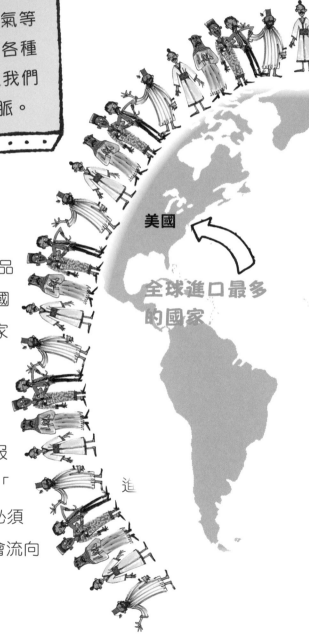

美國

全球進口最多的國家

出口

「出口」是指所提供的商品或服務被販售到國外，被其他國公司或政府所購買，能夠為國家一筆龐大的現金，創造財富。

進口

從其他國家運送商品或服務進來自己的國家銷售，就是「口」。進口商品的公司或國家必須支付代價（資金），因此資金會流向其他的國家去。

進

貿易差額

　　一國的貿易是否能維持「進口」與「出口」的平衡，與這個國家從國外買進來的商品和銷售到國外的商品有關。這個買進來和賣出去總金額間的差距，叫做「貿易差額」。

　　大部分的國家並不喜歡買賣之間有太大的貿易差額，他們會試圖尋求平衡點，也就是在出口總額與進口總額之間能達到平衡。因此在他們大量進口商品的同時，也會試著出口多一點的商品。

中國

全球出口最多的國家

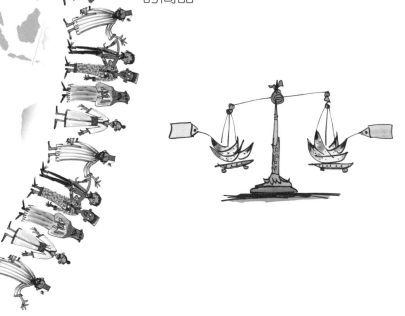

國與國的交易：
開放與管制

在這個全球化的時代裡，每天無數的貨物與資金，在國家與國家間快速流動著。如果進口稻米售價遠低於國產稻米，導致國內農民的生計受到影響，那麼政府應該採取貿易措施來阻擋外國稻米的進口嗎？

自由貿易政策

支持市場自由運作的人認為，政府應該避免對貿易的干預。因為政府如果阻礙更便宜商品的進口，不但會讓競爭力不足的產業延後轉型，而且還會使本國消費者蒙受損失，讓他們被迫只能選購價格較高的本國產品。

貿易保護政策

支持貿易保護的人認為，政府應該透過各種手段來減少進口、保護本國在地產業，用國家的力量協助他們在抵抗外國企業的競爭。而這些政府在自由市場中進行干預，阻撓別國企業參與競爭的手段，稱為「貿易障礙」。

提高進口關稅是一種常見的貿易障礙。所謂的「關稅」是進出口時加在貨物上的一種稅，通常廠商會把因關稅而增加的成本反應在售價上。所以國家提高某項商品的進口關稅時，高關稅會使得進口商被迫調高商品的價格。當進口商品的價格提高，就能避免本國商品遭受低價競爭的衝擊，達到保護本國產業的效果。

在開放與管制之間

許多開發中國家都會選擇採取貿易保護措施，來扶植特定本國產業的發展，這聽起來是個不錯的政策，但事實上，問題可沒有那麼簡單喔！

想想看，假如世界各國都選擇要保護本國產業，那麼會發生什麼事情？既然你用高關稅來阻礙我的稻米進口到你的國家，那我也會用高關稅阻礙你的電子產品進口到我的國家，於是國際間商品的流通就會大幅減少，對於依賴進出口貿易來賺錢的國家來說，可能蒙受更大的損失。

換個角度想，如果限制價格便宜的外國稻米進口，雖然保護了本國農民的生計，但另一方面也讓本國消費者喪失選擇多樣化產品的機會。少數農民的權益很重要，多數消費者的權益也很重要，因此對於各國政府而言，在貿易開放與管制之間，往往是個兩難的抉擇。

想想看，你傾向支持限制還是開放外國稻米進口？

「經濟」係蝦米？

「經濟」是一個用來描述國家裡各種有關金錢活動的名詞，聽起來好像有點抽象難懂，不過這麼說你或許會更了解，例如商店裡大大小小的買賣、公司和工廠裡時時刻刻的運作、倉庫裡進進出出的貨物搬運……生活是隨時隨地都在進行中的各種金錢活動匯集累積而成的，這些都可以稱為「經濟」。

從家裡開始

　　一大清早，從你的爸媽出門工作起，他們就成了「經濟」的一部分。他們付出時間製造商品或是提供服務，維繫整個國家的商務正常運作。

　　他們因為工作而獲得報酬，並用來支付全家人的生活開銷。而家庭為了維繫日常生活所需花費的金錢，被稱為「消費者支出」。金錢就這樣透過報酬與支出周而復始的循環不斷流轉。

什麼是經濟景氣？

　　大部分的政府都致力於活絡經濟，努力促進金錢流動，擴大商業活動，同時鼓勵人民

努力工作並盡情消費。為什麼呢？因為活絡的經濟代表有許多企業獲利，進而繳交更多的稅金給政府；而愈多人因工作而收到薪資，代表有愈多人會繳稅。政府收到這些稅款後，就能提供更多的公共服務，像是開闢公路、興辦教育和醫療服務等。

什麼是經濟不景氣？

經濟不景氣通常會發生在人們的消費需求低落，商品與服務乏人問津時。當工廠生產過剩，便會開始減產並縮短員工工時，有可能會有一些人開始面臨失業。當人民能夠花費的錢變得少了，街上的商店也會受到影響。政府稅收因而降低，接著緊縮開支，減少公共服務和公共建設……一切就像倒下的骨牌一樣的互相影響著。

經濟學家都在做什麼？

簡單的說，經濟學家的工作主要在研究經濟問題，並提出問題解決方式，他們也會試著預測將來。這個工作適合喜歡嘗試解決經濟問題，想要提出一套自己的理論的人。

經濟學家研究的領域範圍很廣泛，包括：天然資源的財政、消費者支出、商品和服務的流通、能源價格、銀行利率、國際貿易乃至於國內的交易。

經濟學家會提出各種建議給企業、銀行、政府和其他的機構參考，告訴他們應該採取哪一些經濟政策。他們也會使用數學運算的方法，來預測政策實行之後可能會引發的未來變化。

經濟成長的指標：GDP

你可能聽過有人說：「最近國內景氣不好，賺錢不易。」所謂的「景氣」指的就是國家的經濟狀況。世界上有些國家的經濟蓬勃發展，也有許多國家的經濟陷入遲緩停滯。我們該怎麼判斷一個國家的經濟狀況好或不好？

觀察經濟是否活絡

我們可以透過簡單的觀察，來初步判斷國家的經濟狀況。如果我們在一個國家可以買到多樣化的商品，或享受各式各樣的服務，通常表示這個國家的經濟發展不錯。相反的在經濟發展停滯的國家，往往可以發現當地商品種類相當有限，人民生活也比較艱困。

觀察GDP的變化

畢竟用感覺來判斷國家經濟情況有時不太準確，也不容易比較不同國家的經濟發展。所以經濟學家想了一個好辦法，用「國內生產毛額」（英文縮寫簡稱為GDP）來表示國家經濟規模。計算方式是把一個年度裡國內所有服務或商品的市場價值加總起來，這個總值愈高，就表示國家經濟活動愈繁榮。如果一個國家的GDP每年都在增加，我們就可以說這個國家「景氣很好」或「經濟持續成長」。

觀察每人平均GDP

　　有的國家面積大、住的人多，有的國家面積小、住得人少，因此大國的GDP總值當然通常比小國的大很多。為了更切確的比較兩國的經濟狀況，經濟學家又想了一個好辦法，就是將國家的GDP除以居住在該國的人口數，這樣得到的數值稱為「人均GDP」，也就是在這一年之中平均每人貢獻了多少的產值。

$$\frac{國內生產毛額}{居住人口數} = 每人平均GDP$$

每一個人為國家做出的貢獻

國家經濟蓬勃發展的好處

　　在一個經濟持續成長的國家，全體成員都能夠共享經濟繁榮所帶來的利益。活絡的經濟活動讓人民變得更富有、企業得到更高的獲利，連帶的增加投資股票的意願以及股票價格的表現。

認識「通貨膨脹」

　　你有可能聽過長輩說：「以前一碗牛肉麵才20元，現在一碗竟然要將近200元！」是的，隨著時間經過，幾乎每一樣東西都漲價。現在100元能買到的東西，過了二十年以後有可能買不到相同的東西了。商品價格通常會隨著時間經歷而持續上漲的現象，我們稱為「通貨膨脹」。

　　當通貨膨脹發生時，日常必需品的價格會普遍上揚，一個家庭若想維持原來的生活水準，就得花上更多的錢。人民可不喜歡因為物價飛漲而造成生活捉襟見肘，所以各國政府都會努力維持低通貨膨脹率，避免民生必需品價格持續攀升。

國家經濟衰退會有什麼影響？

這聽起來或許很奇怪，但是國家和個人、家庭一樣都可能入不敷出。萬一國家的收入比支出少，下場就是經濟學家所說的「預算不足」。假設這種情況持續太久，一個國家會因為缺乏財力而無法照顧人民生活，更可能變得負債累累或財政困難。

經濟不景氣

「經濟不景氣」是指一個國家的產業以及市場的表現不佳，導致各種商業活動逐漸減少。在經濟不景氣時，人們通常會把錢省著用，減少購買商品，投資股票的金額也會減少。連帶的後果是企業的獲利也變少，企業發行的股票價格下跌。

經濟衰退

一旦經濟不景氣維持了一段時間，便會演變為「經濟衰退」。經濟衰退會影響一個國家的產業發展、工作機會、民眾收入和整體貿易表現，對大家的生活會造成顯著的影響。

例如人們的收入可能會減少、不容易找到工作，甚至面臨失業的窘境。負擔家計的人一旦失業了，如果還有貸款要還，就會馬上承受很大的經濟壓力。對於國家而言，人民因為工作難找而收入減少、消費活力減弱，國家稅收也會減少，造成財政上的困難。

工作與失業

也許你會想：不用工作的話，不是也不錯嗎？其實工作對人而言是很重要的，一方面工作報酬可以供應生活所需，另一方面在工作中可以讓我們發現生命的意義與價值，我們知道自己有能力把工作做好，甚至可以透過工作為社會做出卓越的貢獻。

不幸的是，沒有一個國家可以保證人人都能有工作做，根據聯合國的統計，2017年全球失業人口已經超過2億。目前全球平均失業率約5.7%，在臺灣則大約是3.8%。令人吃驚的是，少數非洲國家的失業率竟然高過了90%，也就是說全國大多數人都處在失業狀態。所以政府的遠見與施政能力非常重要，選舉時我們選擇的不只是領導國家的人，也影響著我們的未來。

1929年的美國「經濟大蕭條」(Great Depression)

1928年，前景看似一片光明美好，美國經濟表現亮麗，投資人迫不及待想要增加消費和投資，渴望快速致富。但到了**1929年**的**10月24日**，突然好景不再，股票市場一夕之間崩盤，許多投資人失去了一切，接踵而來的就是「經濟大蕭條」。

當時，美國為了刺激國內的經濟回溫，開始採取貿易保護主義，課徵高額的關稅。於是各國紛紛跟進提高關稅，使得全球經濟雪上加霜，國際貿易總額銳減**50%**。到了**1933年**，美國失業人口達到了**1,300**萬人，每天成千上萬失去工作的人排隊等著領取政府救濟。

直到羅斯福總統實施「羅斯福新政」，使得美國經濟開始復甦，人們才重拾信心，像以往那樣容易地找到工作。

PART 2
為什麼國家 有的窮、有的富？

國家跟個人一樣，未來的發展隨時都有可能變化。
有時候國家會賺大錢，但也有可能會破產！
關於世界上各個國家的未來，
我們除了用猜測的以外，
是否有比較準確又保險的方式來做預測？

每個國家都不一樣

國與國之間，總有著那麼多的不同。為什麼有些人選擇住在這個國家而不住在其他的國家？為什麼有些國家比別的國家更富有、更美麗或是歷史更悠久？又是哪些因素造成了這些差異呢？

地理位置

　　一個比較沒有高山、沙漠、火山和湖泊等地理屏障的國家，它的交通比較便利，人民容易往來移動工作，貨物容易運輸、交換買賣。

氣候因素

　　氣候是指一個特定地理區域裡典型的天氣狀況。溫和宜人的氣候對一個國家的經濟發展幫助很大，因為當氣候既不寒冷也不酷熱，就不需耗費金錢供應家庭與企業冷氣或暖氣；有充足的雨水供應灌溉民生所需的田地，也不需要額外花錢引水灌溉農作物。

天然資源

　　埋藏在地底看不到的資源，通常會是一個國家成功的關鍵所在。如果國家擁有煤炭和石油等燃料，或是鋁和黃金等金屬或其他礦物，就能夠出售資源給其他國家來創造財富。

政治狀況

是誰在治理國家？他們是不是懂得聰明的花錢？管理上是不是誠實、有遠見呢？如果國家領袖不誠實、貪汙、挪用國家資源、輕率的處理國際關係，那麼這個國家的經濟必定遭殃。

教育素質

人民的教育素質和經濟發展息息相關，因為人民的判斷力、想像力、創造力以及製作物品的技巧，都能促進經濟的繁榮。願意將資源儘量投注在教育的國家，通常都能夠更加繁榮富有。

勞動力

不同國家的人民有不同的工作觀。具備良好工作倫理的人願意努力工作換取收入。一般認為亞洲人最努力工作，而亞洲國家的經濟成長也最快。

產業發展

一個國家有哪些產業？能幫國家賺錢、提供工作機會的產業，主要是農業、工業還是服務業？不同的產業型態，對國家經濟發展也有很深遠的影響。許多國家會有長遠的產業計畫，來幫助國內產業漸進的轉型或升級，才能面對全球化時代下來自世界各地的競爭。

文化因素

人民的種種信念匯集成一個國家的文化。每一個國家都有各自堅信的信念，有些國家重視維護人民財產權或公民權，有些國家則比較重視人民的自由權力。人們會為了他們引以為傲的信念堅持不懈的奮戰，形成各國獨特的文化風貌。

攤開地圖想一想：
地理位置對經濟的影響

在地圖上找一找你的國家在哪裡？仔細觀察，位在
不同經緯度、有著不同地理條件的國家，各自有著
哪些不同的經濟發展呢？現在就讓我們攤開地圖，
一起動動腦、來思考！

海岸

緊鄰海洋的國家，可以在海岸線上開
發海港，向全世界買賣和運輸貨品。

六世紀時的西班牙、葡萄牙、義
大利和英國等國家，就是藉由
海運和貿易來累積國家財富。

山脈和沙漠

一個有高山、峽谷、沙漠橫亙其
間的國家，工業和貿易會變得更加的
困難。

撒哈拉沙漠的範圍相當於加拿大
或美國的國土面積。

河流或湖泊

有些國家用湖泊當作國界，例如美國和加拿大交界處有一部分國界，是串連著的五大湖所形成的自然界線。

森林

茂密森林裡，錯綜複雜的路徑讓人望之生畏而難以穿越。例如柬埔寨就倚賴森林作為屏障的國界，目前它正與周邊國家如泰國、越南等攜手合作，制止非法盜採珍貴的暹羅紅木。

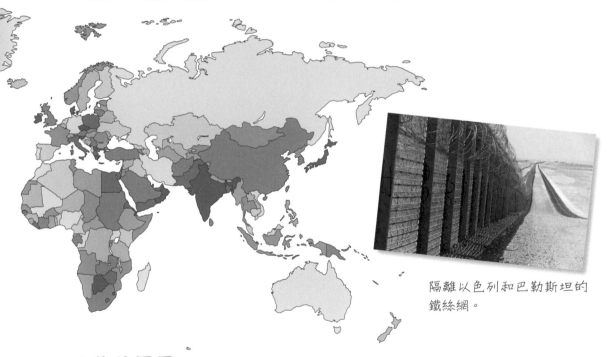

隔離以色列和巴勒斯坦的鐵絲網。

人為的國界

有一些國界是國家刻意用來分隔人民，防止人民接觸另外一國的信仰、語言、文化和政治，這種國界當然也完全禁止與鄰國之間的貿易。

37

天有不測風雲：
氣候對經濟的影響

氣候和天氣不同。「天氣」是指定點和定時的大氣狀態，例如現在的氣溫、降雨量、風速，或者預測明天、未來一週可能發生的現象。「氣候」則是指天氣系統在較長時間的平均狀態。

不同的氣候帶

不同的國家位於不同的經緯度，有著不同的氣候。地理學家依照對應的位置給予不同的氣候名稱，例如「熱帶氣候」發生在赤道附近，這些地方通常高溫炎熱，較不常發生極端溫度，和在地球南北兩極的區域有著顯著的差異。

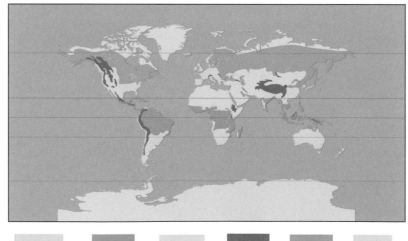

北極圈
北回歸線
赤道
南回歸線
南極圈

溫帶　　熱帶　　沙漠　　高山　　寒帶　　極地

氣候影響農作物的種植

氣候對國家經濟造成重大的影響，特別是以農立國的國家。氣候決定了該國適合種植的農作物，農夫跟隨著季節的轉換，種植適合時令的農作物。

農業是個靠天吃飯的產業。

當天災來臨

當然有些國家的氣候容易發生旱災、颱風或颶風，這些季節性的氣候變化，也會為農作物帶來損害。天氣型態的變化，也可能會誘發植物病變和傳染。當天災降臨，農作物歉收，於是糧食供應減少，價格飆升。

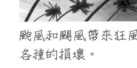
颱風和颶風帶來狂風、水災和各種的損壞。

全球性的氣候變遷

我們日復一日燃燒煤炭和汽油，排放出來的氣體籠罩了整個地球，阻隔了地球散熱，造成「溫室效應」。於是我們的地球正面臨持續暖化。夏天一年比一年更熱，冰川縮小、北極冰層消融、海平面升高、風暴益加狂野、乾旱愈來愈嚴重……這一切都是人類造成的。

乾旱使得農作物乾枯。

從太空中看地球，威力強大的颶風，環流雲系非常紮實。

為什麼 天然資源 這麼重要？

地球提供給我們許多可以當作能源使用的天然資源，現代社會中最常使用的天然資源就是化石燃料，例如煤炭、鐵礦、石油（原油）和天然氣。

資源就是力量

我們每天生活中食、衣、住、行樣樣都需要這些天然資源，因此缺乏天然資源的國家需要與擁有資源的國家進行貿易，購買自己國家所缺乏的資源。

不過，這樣的貿易可能帶來一些問題。因為擁有天然資源的國家可以自行決定賣出價格，以及他們是否願意賣出的數量。他們有可能為了發展本國經濟而提高價格，但是卻損害了那些得仰賴進口資源國家的經濟。

美麗祥和的鄉野也是一種天然資源。不但當地居民受惠，也吸引外國觀光客來此度假。

天然資源豐富的挪威

挪威擁有豐富的石油和天然氣，其中大約有50%被用來出口，為挪威創造了非常龐大的國家財富，由於挪威的總人口約只有500萬人，因此若將國家財富平均分攤給所有挪威人，每個人都可說是富翁。事實上，挪威富有的程度超乎你的想像，充裕的經費讓挪威政府足以在冷冽的冬季裡，供應暖氣給全國大多數酪農的牛舍，好讓裡面的牛隻免於寒冷顫抖！

天然資源匱乏的希臘

相反的，希臘幾乎沒有任何天然資源，他們主要收入來自於生產橄欖油等農業和漁業產品，但也只剛好足夠供養它的1,100萬人口。希臘因為自身天然資源的限制，必須花很多錢來進口各種資源，當政府財政規劃不理想時，就容易發生債臺高築的窘境。

世界各國最想擁有的自然資源——石油

為什麼石油這麼貴？因為我們每個人都需要啊！不僅每天我們的生活中都會用到它，甚至很有可能一天之中你會使用它超過一百次，因為不僅發動車子需要石油，所有的塑膠製品也都是從石油而來。

石油是怎麼來的？為什麼這麼貴？

石油是來自於三、四億年前的植物或是微小動物的殘骸，這些殘骸被砂石和淤泥掩埋，歷經了數百萬年的時間，再經由溫度和壓力的長久作用，慢慢的變成了石油，由此可知，今日我們所使用的石油是長久以來逐漸形成而無法速成的天然資源。

石油是一種不能再生的能源，也就是說，等我們耗盡石油時，就再也沒有一滴石油了，所以石油才那麼的稀有而且貴重。

什麼是石油產業？

全世界最龐大、最富有的產業就是石油產業，石油產業包括從地底開採石油，經由煉解精純、並透過輸油管或是油槽運送，一直到銷售給企業和消費者等各種環節形成的產業。

從地底開採出來的原油會先送進煉油廠裡，去除雜質、岩石碎片和其他異物後再加以精煉。

精煉過後的石油會存放在大型容器內，等待輸送或運載到世界各地。

石油能被用來生產塑膠、橡膠、膠水和晾衣繩，也能用來製造肥料、食物防腐劑、肥皂、沐浴乳和抗菌液。我們生活中包括食、衣、住、行、育、樂的各種起居用品，幾乎都脫離不了它。還有，家用汽車使用的汽油，也是從石油提煉而來的。

汽車是石油消費大戶

石油被用來作為燃料或能源已經超過了好幾年。二十世紀初汽車被大量的製造生產後，石油被大量的製成供應汽車燃料使用的汽油，直到現在，汽油已成為數量最多的一種石油製品。

世界石油儲量大國

- 俄羅斯
- 沙烏地阿拉伯
- 美國
- 伊朗
- 中國
- 阿拉伯聯合大公國
- 伊拉克
- 加拿大
- 墨西哥
- 科威特

戰爭或是和平，
命運大不同

國與國之間的衝突，特別是戰爭，會讓國家變得貧困。相反的，和平使得國與國之間得以相互貿易與合作，有助於國內的經濟成長與發展，也使得國際貿易變得容易。

戰爭消耗金錢又勞民

2000年，國際間發生最悲慘的人為災難之一，就是位於東非的衣索比亞和鄰國厄利垂亞的戰爭。光是用來花在軍備武器上就有好幾百萬美元，這筆錢原本可以用來改善人民的貧窮狀態。根據估計，這場戰爭每一天就要耗費美金100萬元（相當於新臺幣3,500萬元）。

攜手合作有助貿易

當國家與國家結成同盟關係時，會促進結盟國家的經濟成長，為彼此創造出更多的財富。盟邦之間可能也會運用互相減輕關稅等政策，讓貿易更加蓬勃發展。

最好的例子就是「歐洲聯盟」，最早歐洲有幾個國家為了搶奪鋼鐵和煤礦資源而互相競爭，甚至發起戰爭，但是後來國家間改為攜手合作，甚至決定使用同一種貨幣，消除穿越國界的障礙，使得進出口變得更加容易。

攸關國民素質的教育

打從我們上學的那一天起，父母就竭盡所能的想讓你接受最好的教育。他們相信你能接受的教育品質愈好，愈有可能得到一份待遇好的工作，將來的生活也會更加富足美好。

教育影響國家競的爭力

普及的國民教育，能讓國民普遍擁有更好的工作機會、獲得更多的薪水，而這也會反應在國家的GDP上。通常一個國民普遍受到良好教育的國家，也會擁有較佳的經濟表現。

教育影響你的人生

在學校裡，我們會學到閱讀和書寫的能力，以及國文、英文、數學、社會等好多不同的學科，但你曾經想過為什麼學校要教這些嗎？世界上所有的國家都努力培養每一位國民的智識與技能，讓大家都有足夠的能力去選擇和爭取自己想要的未來。

想一想，人的一生花在受教育的時間將近有10幾年，
你勢必得要思考自己為什麼要受教育這件事！

國家人多或人少
跟經濟有什麼關係？

目前在地球上一共住了75億人口，這真是個讓人難以想像的數字！有的國家人口多，有的國家人口少，但總是有著各自的困擾，例如在臺灣，我們常會聽到有人在談論「少子化」和「高齡化」的問題，一個國家的人口發展趨勢對國家經濟，究竟會有什麼樣的影響呢？

持續增加的全球人口

　　全球的總人口從十四世紀開始，便一直穩定成長，尤其隨著現代生活水準的提高，各國人口更是在1950～1960年代快速成長。當時許多國家擔心會有人口過多的問題，更困擾著在資源有限的情況下，國家無法提供充足的飲水、食物、能源及工作機會。所以過去幾十年來，許多國家都提倡「家庭計劃」，希望人們別生育太多孩子。

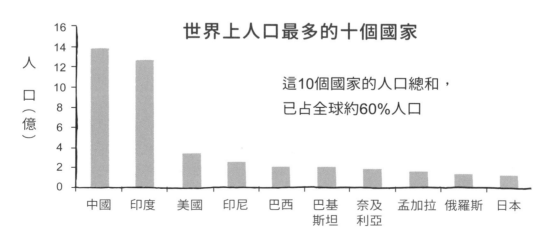

世界上人口最多的十個國家

這10個國家的人口總和，
已占全球約60%人口

人口（億）

中國　印度　美國　印尼　巴西　巴基斯坦　奈及利亞　孟加拉　俄羅斯　日本

少子化社會的挑戰

現在已開發國家面臨的挑戰已經不再是人口過多，而是年輕人口不足及人口老化的問題。「少子化」是指因為生育率降低，造成幼年人口比例逐漸減少的現象。這個現象代表著什麼？這表示未來十幾年後，當這個世代長大成為青年後，國家將面臨勞動人力不足的窘境。

年輕人口的數量，代表著一個國家未來的競爭力。

高齡化社會的挑戰

「高齡化」是指因為孩子生得少、老人活得老，使得國家老年人口比率持續增加的現象。例如日本平均每四個人之中，就有一人是65歲以上的老人，這個狀況將造成國家收入減少，但在社會福利、醫療、長期照護等支出持續增加，形成國家財政上的沉重負擔。

包括臺灣在內的很多已開發國家，都同時面臨著少子化和高齡化問題的挑戰。因此為了國家的未來與經濟的發展，現在各先進國家的政府都很重視如何解決少子化的問題，並努力推動各種政策來鼓勵家庭多生育孩子。

國家經濟發展的動力：勞工

爸媽每天辛苦的努力工作，為的是什麼呢？其實他們的貢獻，不只幫自己的家庭賺取生活所需費用，同時也提供國家經濟能夠持續發展的力量，因此你的爸媽也是促進經濟發展的英雄之一呢！

什麼是「勞工」？

「勞工」是指受到雇主僱用進行工作並獲取工資的人。在臺灣共2,300萬人口中，大約有1,100萬人每天努力完成各自的工作，這股龐大的勞動大軍維繫著臺灣的經濟發展，讓我們能夠買到想要的商品、接受各種不同的服務，享有便利與豐足的生活。

多數勞工在接受完學校教育後，開始進入勞動市場，然後一直工作到退休那天。他們可能工作超過40年的時間，經歷結婚、生子、把孩子撫養長大等，最後帶著大半輩子努力得來的資產安享晚年。

專業技能很重要

每一份工作都有各自需要的專業技能，這些技能有的可以在職業學校或大學中學到，有的則需要接受額外的職業訓練，或者是在工作中邊做邊學。在科技發展快速的現代社會中，每位工作者都需要終生持續的學習，才能不斷提升自己的專業能力，幫助自己完成

工作中不斷出現的新挑戰。國家勞工普遍的專業技能愈高，通常也會有愈好的經濟表現。

勞動意願

有些國家以擁有勤奮工作的勞工而聞名，這些人民具有高度勞動意願，願意為了自己和國家的利益而努力工作。一個國家中的勞動人口如果有較高度的勞動意願，通常就會有較高的勞動參與率，那麼也會促進國家經濟的表現。

你我身邊的外籍勞工

在我們的日常生活中，有時會發現周遭有一些工作是由從外國來的勞工來擔任的，譬如老年人的看護、建築工地中的工人等。目前世界上有些已開發國家雖然經濟發展良好，卻同時面對勞動人口減少、少子化及高齡化問題，所以政府會開放　定數量的外籍勞工，來彌補本國人力的缺口。

雖然有些人擔心引進外籍勞工會搶走本國勞工的工作機會，但其實各國政府都會控管外籍勞工的數量，而且他們多數擔任的是比較辛苦或薪水偏低的工作。在許多已開發國家，外籍勞動人力對該國經濟發展，也有著一定程度的貢獻！

勞工促進社會經濟發展

當有愈多勞工積極投入職場，努力把自己的知識與技能貢獻企業，一旦企業獲利成長，就會願意提供更好的薪水或聘請更多的勞工。當愈來愈多的勞工運用薪水來消費，不斷流動的錢就會促進整個社會的經濟活力。

影響國家經濟的產業

農業

農業就是耕種和培育各種農作物的產業。在過去的社會，農業是最重要的一種產業，因為它供應國家所需要的糧食，剩餘的農作物可以拿來與他國進行貿易，換取國家缺乏的物資。時至今日，投入農業產業的人數不如以往，但是它的重要性並沒有因此而減少。

自給自足

　　自給式農業通常是指生產供自己使用的農作物。自給式農莊種植作物和豢養禽畜滿足一家人的食用之需，而非以銷售或交換為目的。

　　然而有一些原本是自給式的農夫，開始嘗試拿消耗不完的作物去交換一些自己難以產出的貨物，像是糖、衣服或是蓋房子　所需的鐵器等等。不少的自給式農戶都位於非洲和亞洲等落後國家或開發中國家的鄉村地區，其中有些透過貿易契約和通路來販售他們的農特產和當地土產。

生產過剩

當農夫們為了販賣而耕作，有的時候會生產多到他們難以處理，也就是生產過剩。也許你認為把多餘的小麥和奶油送給人民饑荒的國家聽起來好像不錯。可是這樣一來農產品的價格就會下降，影響到農民們的利潤，所以不是很可行。

生產過剩的小麥高高堆著。

那麼到底如何處理生產過剩的問題？有的時候就只能堆置起來，任其腐壞。但更可能是用低價出清，也就是所謂的傾銷。

補貼

政府經常提供補貼來幫助農民。常見的補貼方式像是直接貼補現金、降稅或是提供農業用電減免、保證農產品收購價格等。

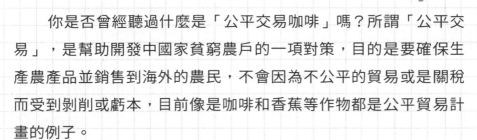

什麼是「公平交易」？

你是否曾經聽過什麼是「公平交易咖啡」嗎？所謂「公平交易」，是幫助開發中國家貧窮農戶的一項對策，目的是要確保生產農產品並銷售到海外的農民，不會因為不公平的貿易或是關稅而受到剝削或虧本，目前像是咖啡和香蕉等作物都是公平貿易計畫的例子。

不幸的是，有些富有的國家依舊設法為難貧窮的農夫，削弱他們的競爭力。例如，他們要求農夫提出產品品質優良的認證，但這幾乎是不可能的。

影響國家經濟的產業 工業

坐著的椅子、眼前的書桌、桌上的檯燈、爸媽使用的電話或手機、工作用的電腦、家中牆壁裡的磚頭與牆面上的油漆、你出門時騎的腳踏車……這些都是我們生活中不可或缺的東西。我們之所以能用經濟實惠的價格擁有它們，全都是拜現代化工業生產之所賜。

現代化的工業生產

從十八世紀的工業革命開始，人類的生產方式逐漸了有很大的轉變。商品的生產從過去的手工製造走向機械化製造，新設立的工廠不但能夠大量生產，同時還能有效降低成本，一方面讓消費者能夠買到物美價廉的商品，另一方面也讓工業生產國的經濟開始起飛。

機械化生產透過輸送帶讓商品在工作站間快速移動，增加組裝的速度。

工廠的設立能為當地帶來許多工作機會，員工賺到薪水後又有更好的消費能力去購買更多的工業產品，讓經濟朝向正向循環。而精心製造的產品不但能供應國內需求，也能夠賣到外國賺取外匯。所以在現代國際社會中，一個擁有強大工業力的國家，往往就能擁有良好的經濟發展。

原料成本

我們使用的貨物通常是由一些基本的原料加工製造而成的。商人們為了降低產品的製造成本，都會盡量選擇原料來源來自國內或鄰近國家，若

原料得從遙遠的國外進口，生產成本和價格都會因此而上揚。

專業製造

在某項商品的生產上，有的國家可能因為國內能生產相關原料和擁有適當的勞動力，因此比其他國家有更好的生產優勢，而成為這項商品的專業生產國。

例如美國、日本、韓國等國的汽車產業，不但供應國內市場需求，同時也成功在全球汽車市場取得領先地位，現在世界各地都能看到有人駕駛著他們所生產的車輛。

而在英國，汽車產業無法與上述國家競爭，所以大量生產的大型車廠已經消失。取而代之的是小型專業車廠，繼續小量生產具有特色、甚至是客製化的跑車。

帶動工業持續發展的 新科技

現在我們每天都經常使用的電腦，其實是一個發明時間不到80年的新發明。我們的祖父母小時候看的電視機，是一個方形的木箱，一轉開電源按鈕，只能看見黑白顏色的螢幕畫面。如今，一切都如此便利，這就是現代科技帶來的生活轉變！

現代通訊技術

我們所知道的通訊技術也是非常近期的事物。幾百年前的人們如果要相互聯繫，需要使用手寫郵件來傳遞信息。當時沒有網際網路，人們只能從別人的談話中，或是讀報紙來知道世界上發生了哪些事情——假如你有接受教育、懂得識字的話。但是隨著電子科技的發展，事情有了變化。

太空科技開啟通訊新頁

電腦產生全像攝影幫助設計建築

到如今，我們生活在一個充斥著尖端科技的世界裡，只要按下一個按鈕就可以聯絡遠方的人，這不僅改變了人們的工作方式，也為國家帶來新模式的生財之道。

科技先進引導世界

有些國家的科技發展領先世界各國，特別是在電腦和手機上。因為人們對科技產品的大量需求，一些國家在電子科技的生產製造上領先全球，問問你的爸媽和我們身旁的親朋好友，他們的手機有可能是在美國、韓國或是日本製造生產的。

未來沒有科技作為後盾的國家有可能會逐漸落後，這些國家為了進口符合最新趨勢的電子用品，只好付錢給生產產品的國家。面對一個通訊方式劇烈變化的時代，不管是國家或是國家中的勞工、以及我們每一個人，都得要隨時成為不斷更新的學習者，否則就會遙遙落後了。

開發自己源源不絕的創造力

每個創新發明的背後，都有一群富有創造力的人，逐步將腦海中的夢想化為現實。創造力是所有新奇想法的搖籃。

隨著世界上各行各業的種類不斷更新，彼此的競爭也愈來愈激烈，公司需要的未來人才，不再只是有高等學歷的員工，他們需要的是能夠跳脫既有框架來思考與創新，能夠運用嶄新想法來務實解決問題的人。

創造力的基礎來自於融會貫通的知識。現在的我們透過學校教育深入了解科學、地理、數學等學科，培養自學的能力，持續關心社會現象與世界趨勢，面對未來，我們也可能是改變世界的創新者。

影響國家經濟的產業

工業販賣的是消費者生活所需的貨物，而服務業販賣的則是各式各樣的服務，包括餐飲、出版、娛樂、銀行、保險、醫療和法律服務等。服務業所提供的商品也許無法放在貨架上販賣，但和工業相同的是，這些服務也可以為國家賺來許多的錢。

持續成長的產業

近百年來，全球的服務業呈現持續穩定的成長，特別是一些已開發國家的服務業更是發達，例如在美國與歐洲國家，以及在亞洲的新加坡和韓國等。這些國家的經濟穩健，教育良好，具有高品質的優良勞動力。

以臺灣為例，我國的服務業從1980年代中期開始，隨著國民生活水準提高而蓬勃發展，2017年服務業占總就業人數比重為59%，占GDP比重則高達63%，換句話說，全國有將近六成的勞工從事服務業，並創造了超過六成的產值。

為什麼服務業會快速成長？

服務業快速成長的原因之一，是廠商在生產製造商品時，逐漸引進愈來愈多的自動化生產設備，例如建造更有效率的生產線、或用機器人取代部分人力，所以在生產線上所需的工業人力逐漸減少。

但當廠商可以用更少的人力，生產更多商品的同時，意味著貨物量快速增加。廠商關心的重點已經從「如何更效率的生產」轉向「如何更快的把貨品賣出去」，所以對於物流、廣告、銷售、管理、金融等服務的需求開始大幅增加。因此服務業就逐漸成為現代國家主要的收入來源之一了！

蓬勃發展的觀光產業

每個國家都有著各自獨特的面貌。有的國家擁有悠久的歷史古蹟，有的國家有著鬼斧神工的壯麗山川，有的國家有著與眾不同的建築地標，這些特色景點總是吸引著人們慕名而來。畢竟不分古今中外，人人都喜歡造訪未曾去過的地方，看看不同的歷史、文化、景觀、建築與生活方式。

觀光產業就是因應人們喜愛四處遊覽的需求，為遠道而來的觀光客提供旅遊過程中所需的住宿、食物和交通等服務，或藉由販售當地的特色紀念品或名產，讓旅客能獲得一段美好的體驗與回憶。許多國家紛紛致力於發展觀光業，來幫國家賺更多的外匯。

你也能為國家貢獻一份心力

你的志願是什麼？是工程師、科學家、太空人，或者單純想做個有用的人呢？我們都期望自己能對這個世界有所貢獻，無論未來我們從事的工作是律師、醫生、計程車駕駛或是其他職業，我們都能為創造國家財富貢獻一份心力。

在學校的時光盡情學習吧！

透過受教育累積知識與一技之長，是你最豐厚的資本。目前大多數的國家會提供免費的教育管道，讓你一路念到高中畢業。國家希望透過教育制度，確保人民具有生活所需的基本技能，例如閱讀能力、基本的數學運算和操作電腦等能力。

在這段學習的歷程中，你會更加認識自己，明白自己擅長的是什麼，然後選擇自己想深入了解與學習的科系來就讀，大學教育將能幫助我們進入專業化的工作；而技術學院則為進入各種產業預做準備，培養更實務面的技能。不管如何，好好充實自己，畢業後選擇一個自己感到有熱情的工作，讓自己發光發熱吧！

學習是一輩子的事

　　出了學校不一定就停止受教育。有一些特別的工作技能的訓練是在工作場所中進行的。例如有些公司會提供培訓方案讓員工在職進修，還有一些專門的機構也提供各種培養基本技能的訓練課程。只要你肯學習，永遠不怕沒機會！

選擇自己喜愛的工作與環境

　　世界各國都有一些特定產業聚集的區域，讓專業人士可以彼此合作交流、一起集思廣益。例如在美國加州，有一個科技人員匯集的地方名叫「矽谷」；在英國倫敦，有個金融業蓬勃的區域名叫「金融城」。隨著全球化與科技進步，未來你的辦公室甚至有可能就在你家裡，只要你有專業技能，不怕沒有工作機會。

你的貢獻

　　未來進入職場後，我們努力工作、繳納稅金給國家，購買商品時把金錢付給商店老闆……，無論是貸款買間房子，或是支付日常飲食，當我們把自己的錢投入了經濟體系之中，我們就已經為國家經濟發展做出貢獻了。

**為自己而努力，就是為我們全體共同的未來而努力，
我們都能幫助國家的經濟成長和繁榮！**

問題與討論

你喜歡自己國家的貨幣嗎？

　　你知道自己國家的貨幣是誰發行的？又是如何設計出來的呢？觀察一下硬幣和鈔票上的圖樣，代表著什麼意義？如果由你來擔任貨幣設計師，你會如何設計色系和花樣，什麼樣的貨幣設計能兼顧所有使用者的需求呢？（包含明眼人與視障者）

你認為目前的稅制公平嗎？

　　所有的國家為了籌措財源，必須向勞動人口課稅。不同的國家有不同的稅率，一般來說，通常賺得愈多的人需要負擔的稅也愈高，不過你覺得這樣公平嗎？或者應該是無論收入多少，人人都應該要繳一樣多的稅呢？賦稅追求的是效率與公平兩個原則，但兩者常常無法兼顧，你覺得哪個比較重要呢？

國家財政發生問題時，可以印刷鈔票來解決嗎？

　　如果國家有權力印刷鈔票，可以想印多少、就印多少，那麼當國家的財政發生了問題，不就很容易解決問題了嗎？為什麼不能印更多的鈔票來解決？

通貨膨脹是一件壞事嗎？

通貨膨脹表示東西漲價了。有些經濟學家認為微幅的物價上揚並非壞事，另一些人則認為通貨膨脹必須嚴格控制或是完全避免。為什麼通貨膨脹會不利經濟？你的看法是什麼？

請觀察你的國家，最主要出口的產品是什麼？

商品和服務的出口有助於國家經濟成長。能夠用比別人更低的成本生產商品並出口的國家，經濟成長的表現應該會更好。但是否也表示這個國家的商品品質比較低劣、工資比較低廉，甚至工作條件比較差呢？你的國家經常出口哪一些商品和服務？

你將來想做什麼？

世界持續地在改變，現在變化的速度比過去任何時候都更快。從前有一些工作現在已經不復存在，未來則可能有65%的工作目前還沒有出現，我們現在所接受的教育內容，可能無法保障我們未來一定能找到自己適合的工作。因此不管未來如何變化，最重要的是讓自己不斷保持學習的熱忱，成為一個充滿熱情、樂於學習和勇於挑戰的工作者！

本系列與十二年國民基本教育課綱對應表

以下彙整本系列與各學習階段「社會領域」課程相對應的內容，期待孩子、家長及教師能將書中內容與學校課程相互搭配，讓金融與理財的知識融入生活、從小紮根，為孩子奠定未來實現理想人生的基礎。

備註：表格中以色塊標示系列冊別，並於其中標注頁數

理財小達人1　　理財小達人2　　理財小達人3　　理財小達人4

國民小學中年級（第二學習階段）

課綱主題	能力指標編碼與主要內容	本書相應內容
人與環境	Ab-II-2 自然環境與經濟發展的相互影響	過度消費 P48
生產與消費	Ad-II-1 個人參與經濟活動，與他人形成分工合作的關係	工作 P20-24 消費 P34-45
	Ad-II-2 透過儲蓄與消費，來滿足生活需求	儲蓄 P24-31　P12 消費 P34-45　P34-53
價值的選擇	Da-II-1 時間與資源有限，個人須學會做選擇	富有與貧窮 P54-59
	Da-II-2 個人生活方式的選擇	
經濟的選擇	Db-II-1 消費時的評估與選擇	量入為出的預算 P18 P45 需要與想要 P10

國民小學高年級（第三學習階段）

課綱主題	能力指標編碼與主要內容	本書相應內容
人與環境	Ab-III-3 自然環境、自然災害及經濟活動，和生活空間使用的關聯性	天氣影響價格 P37
全球關聯	Af-III-2 國際衝突、對立與結盟	戰爭與災難 P56 貿易障礙 P24 G7、G20 P50 世界銀行、IMF P52
	Af-III-3 參與國際事務，世界公民責任	第三世界債務 P48 人道救援 P58
社會與文化差異	Bc-III-2 資源分配不均與差別待遇	家庭養育成本 P5 富國與窮國 P44-47 外籍勞工 P49
價值的選擇	Da-III-1 做選擇時評估風險及承擔責任	負債 P50-53 P14-15
經濟的選擇	Db-III-1 選擇與理財規劃	收支、儲蓄與投資 P15-31

國民中學（第四學習階段）

課綱主題	能力指標編碼與主要內容	本書相應內容
臺灣的產業發展	地Ae-IV-2 臺灣工業發展的特色	臺灣主要出口產品 P36
	地Ae-IV-3 臺灣的國際貿易與全球關連	
食品安全議題	地Cb-IV-1 農業生產與地理環境	影響農業因素 P34-39
交易與專業化生產	公Bn-IV-4 臺灣若開放外國商品進口，對哪些人有利？對哪些人不利？	貿易開放與管制 P22-24
貨幣的功能	公Bp-IV-1 為什麼會出現貨幣？貨幣有何功能？	貨幣演進與功能 P8 貨幣鑄造與發行 P20
	公Bp-IV-2 儲值卡和貨幣的不同	電子貨幣 P11
	公Bp-IV-3 信用卡和使用貨幣的不同	
	公Bp-IV-4 外幣的買賣	匯率與匯兌 P18、21
全球關聯	公Dd-IV-1 全球化過程	跨國品牌 P38

高級中等學校（第五學習階段）

課綱主題	能力指標編碼與主要內容	本書相應內容
誘因	公Bm-V-2 政策影響誘因改變人民行為	租稅政策 P16
交易與專業化生產	公Bn-V-1 專業化生產的好處	專業分工與貿易P28
	公Bn-V-2 進出口商品的決定因素	工業 P52 各國進出口品項 P28、30、36
國民所得	公Bq-V-2 國內生產毛額（GDP）如何衡量？	GDP P26-31 P44 真正的財富 P60
勞動參與	公Cd-IV-1 勞動參與與經濟永續	勞動與貢獻 P58-59
	公Cd-IV-2 家務勞動與社會參與	家務與打工 P20-23
市場機能與價格管制	公Ce-V-1 市場價格的決定	供需與價格 P40
全球關聯	公Dd-V-3 全球永續發展	公平貿易 P54
貿易自由化	公Df-V-1 貿易自由化	自由貿易 P24
	公Df-V-2 貿易管制的利與弊	開放與管制 P24 關稅與配額 P34

理財小達人3

為什麼國家有的窮、有的富？
──一起認識國家經濟

作者｜費莉西亞‧羅（Felicia Law）、
　　　傑拉德‧貝利（Gerald Edgar Bailey）
譯者｜顏銘新
責任編輯｜黃麗瑾
文字協力｜劉政辰、廖啟翔
封面設計｜東喜設計
封面插畫｜放藝術工作室
行銷企劃｜陳詩茵

天下雜誌群創辦人｜殷允芃
董事長兼執行長｜何琦瑜
媒體暨產品事業群
總經理｜游玉雪　副總經理｜林彥傑
總編輯｜林欣靜
行銷總監｜林育菁　版權主任｜何晨瑋、黃微真

出版者｜親子天下股份有限公司
地址｜台北市104建國北路一段96號4樓
電話｜（02）2509-2800　傳真｜（02）2509-2462
網址｜www.parenting.com.tw
讀者服務專線｜（02）2662-0332　週一～週五：09:00~17:30
讀者服務傳真｜（02）2662-6048
客服信箱｜parenting@cw.com.tw
法律顧問｜台英國際商務法律事務所‧羅明通律師
製版印刷｜中原造像股份有限公司
總經銷｜大和圖書有限公司　電話：（02）8990-2588

出版日期｜2017年10月第一版第一次印行
　　　　　2024年1月第一版第十九次印行
定　　價｜300元
書　　號｜BKKKC075P
ISBN｜978-986-95267-9-1（平裝）

國家圖書館出版品預行編目(CIP)資料

為什麼國家有的窮、有的富?:一起認識國家經濟 /
費莉西亞.羅(Felicia Law), 傑拉德.貝利(Gerald Edgar Bailey)著 ;
顏銘新譯. -- 第一版. -- 臺北市: 親子天下, 2017.10
　　64 面；18.5×24.5 公分. -- (理財小達人 ; 3)
譯自：Country money : how countries spend their money and
why
　　ISBN 978-986-95267-9-1(平裝)

　　1.國家經濟 2.通俗作品

551.2　　　　　　　　　　　　　　　　106016100

照片 本書照片主要出自Shutterstock，其餘照片出處包括：
P.12,Michael Marcovici、P.19, Wikipedia.org、P.36,（左）
Galyna Andrushko（右）Zelijko Radojko、P.37,Wikipedia.
org、P.39,（由上至下）Craig Hanson、Photobank
gallery、vadim kozlovsky、NASA、P.43,（左）Teun
van den Dries（右）Zacarias Pereira da Mata、P.45,
（上）falk、P.47,The FinalMiracle、P.50,（左）
JeremyRichards（右）JeremyRichards、P.51,Charlie
Edward、P.52,06photo、P.54,（上）Paulo Afonso（下）
wavebreakmedia

訂購服務───────
親子天下Shopping｜shopping.parenting.com.tw
海外‧大量訂購｜parenting@cw.com.tw
書香花園｜台北市建國北路二段6巷11號
　　　　　電話（02）2506-1635
劃撥帳號｜50331356 親子天下股份有限公司

立即購買 >